SZENEN DER SCHWEIZ

ALBERTO VENZAGO

SZENEN DER SCHWEIZ

BILDER AUS EINEM GELOBTEN LAND

Mit Texten von Peter Höltschi

EDITION STEMMLE
SCHAFFHAUSEN ZÜRICH FRANKFURT/M DÜSSELDORF

Art Direction: Peter Wassermann
Buchdesign und Layout: Henry D. Béguelin
Produktion: Peter Renn
Satz: Typotron AG, CH-9006 St.Gallen
Fotolithos: Mabellini & Partner AG, CH-8034 Zürich und Repro von Känel, CH-8044 Zürich
Druck: Meier & Cie AG, CH-8201 Schaffhausen
Buchbinder: Grossbuchbinderei Eibert AG, CH-8733 Eschenbach

ISBN 3-7231-0363-4

Inhalt

Von einem, der sich wundert

«Hallo, Grüezi, Alberto Venzago, automatischer Telefonbeantworter: Ich bin für längere Zeit abwesend, vermutlich im August wieder zurück. Für dringliche Mitteilungen können Sie MAGNUM in Paris anrufen...»

Es folgt die Telefonnummer in Paris, danach derselbe Text auf englisch mit einer Nummer in New York.

Du rufst also in Paris an, weil du die Texte zu Albertos Buch schreiben sollst, aber noch vor «vermutlich im August», und das nette Fräulein von MAGNUM sagt dir, ach, der Alberto, der sei wahrscheinlich in El Salvador, falls er überhaupt schon von Vietnam zurück sei, oder dann unterwegs nach Zaire...

Und dann bist du zufällig in New York und schaust dir eine Freilicht-Ausstellung an, unten im Tomkins-Park, fast schon Lower East Side, lauter junge Wilde stellen aus für ein Publikum, das ohnehin nicht kaufkräftig ist, und dann kommt der Alberto und sagt: «Sali» – als ob er hier auf dich gewartet hätte.

Ein paar Tage später schellt er nachts um elf bei dir in Zürich, um mitzuteilen, beim Bellevue gäbe es ein hervorragendes

Birchermüesli zu kaufen, an diesem neuen Takeout, er habe ein Schälchen davon mitgebracht. Und übrigens habe er ein neues Zusatzgerät für seinen Synthesizer gekauft, und dein Sohn, der Saxophon spielt, solle doch einmal vorbeikommen, man könne ganz tolle musikalische Effekte erreichen. Und was jetzt eigentlich mit dem Katalog für diese Nobeluhr sei, den er mit dir machen wollte, ob du vielleicht schon eine Idee hättest, er sei leider nicht dazugekommen, darüber nachzudenken, weil er zur Zeit auf einem Ohr taub sei, vermutlich wegen dieser Handgranate, die in Nicaragua gleich neben ihm explodiert sei, aber vielleicht sei das Ohr auch nur verstopft von diesem feinen Sand in der Karibik, er gehe dann mal zum Arzt.

Er spinnt, dieser Venzago. Er ist ein Exot, ein buntgescheckter, und dazu meistens schlecht rasiert. Und du kannst dich nicht erinnern, ihn jemals bei schlechter Laune angetroffen zu haben. Er war einmal Lehrer, hat kleinen Kindern im braven schweizerischen Zug das Einmaleins beigebracht; dann ging er nach Australien, um den Aborigines, den Ureinwohnern, das Leben beizubringen, und dann nach Japan, wo er sich selber das Fotografieren beibrachte.

Das vorliegende Buch ist also das Werk eines kosmopolitischen Nonkonformisten. Zufällig ist das Thema die Schweiz und zufällig ist Alberto Venzago Schweizer. Aber das hat ihn nicht daran gehindert, diese Schweiz als exotisches Land zu betrachten – so, wie er mit seiner Kamera vielleicht auch Thailand oder Paraguay betrachten würde. Freilich, das Land, in dem man aufgewachsen ist, in dem man zwar nicht lebt, aber in dem man abwesend ist, wenn man herumreist, das Land, an dem man seine Welt-Erfahrungen misst – dieses Land bewirkt mehr Emotionen als andere Länder. Zumal die Schweiz ein hochgelobtes Land ist, ein reiches, ein schönes, ein steuergünstiges – Nicht-Schweizer hegen gerne die Vorstellung, die Schweiz sei ein paradiesisches - ein gelobtes Land.

Dieser Meinung tritt Venzago mit seiner Kamera entgegen. Nein, er dementiert sie nicht, er kritisiert die Schweiz nicht, er zieht sie nicht in den Schmutz – er wundert sich einfach. Er wundert sich über das, worüber sich die meisten Schweizer längst nicht mehr wundern: über die hintergründigen Selbstverständlichkeiten eines Landes, dem es gutgeht.

Peter Höltschi

Schiessen hat in der Schweiz nicht nur militärische oder sportliche Bedeutung – das Schützenwesen ist fast schon ein schweizerischer Mythos. Und wenn sich einmal im Jahr, im November, begeisterte Schützen auf der Rütliwiese, dem Gründungsort der Eidgenossenschaft am Vierwaldstättersee, zum traditionellen Rütlischiessen treffen, dann fühlt sich jeder Teilnehmer wie ein richtiger Wilhelm Tell – auch wenn's Tell vermutlich nie gegeben hat.

proTELL

Dass in der Schweiz jeder wehrdiensttaugliche Bürger sein Sturmgewehr zu Hause im Schrank hat, wird vom Rest der Welt immer wieder mit Staunen registriert. Schon mit 19 Jahren, wenn sie in die Rekrutenschule eingezogen werden, erhalten die zukünftigen Soldaten in einer feierlichen Zeremonie ihr eigenes, registriertes Gewehr, dass sie im Normalfall ein Leben lang behalten werden. Erstaunlicherweise wird die hochkarätige Waffe nur sehr, sehr selten wegen privater Streitereien oder kriminell missbraucht.

Ein sauberes Land, die Schweiz, in dem immer fleissig geputzt wird – besonders anschaulich in der Swiss Miniatur in Melide am Luganer See. Das ist eine natur- und massstabgetreue Nachbildung der schönsten Ecken und Plätze der Schweiz, wo sich der eilige Tourist ein ganzes Land im Konzentrat ansehen kann. Dass der Besen, mit dem allabendlich sauber gemacht wird, von einem Gastarbeiter geführt wird, ist klar. Und nicht zufällig wird hier der Kolinplatz der Stadt Zug abgebildet. Zug – ein idyllischer Platz, eine immer sauber geputzte Steueroase und – so munkelt man – eine Drehscheibe für viel Geld aus allen Herren Ländern. Warum sonst gibt es hier so viele Briefkastenfirmen!

Nur eine saubere Bank ist eine gute Bank. Was die internationale Klientel im Tresorraum dieser Genfer Privatbank an Staub aufwühlt oder hinterlässt, wird abends von einer gepflegten Spanierin weggesaugt. Allfälligen Schmutz auf den Nummernkonten kommt man mit dem Staubsauger allerdings nicht bei.

Alljährlich im November gedenken die Schweizer Armeeführer heroischer Zeiten. In Morgarten, wo die Eidgenossen 1315 ein habsburgisches Heer in einen Hinterhalt lockten und besiegten, versammelt man sich in malerischer Nebelkulisse, um weitere patriotische Taten zu beschwören.

Den Abschluss eines grossen Manövers feiert die Armee traditionsgemäss mit einem grossen Defilé, einem Vorbeimarsch der Truppen vor der Armeeführung und dem zuständigen Bundesrat (Minister). Aber auch das Volk nimmt die Parade ab: Zu einem Defilé kommen oft mehr als 100 000 Zuschauer, und zwar freiwillig, um die Kampfkraft der Truppe zu bestaunen. Oder um einen Blick auf den Papi zu erhaschen, der da irgendwo mitmarschiert.

Die Turnschuh-Generation hat ein etwas unverkrampfteres Verhältnis zur Landesverteidigung als ihre Väter. Im Wohlstands-Chaos wird die Waffe, mit der einmal jährlich militärisch geübt werden muss, zum Requisit der Unbekümmertheit.

swissair

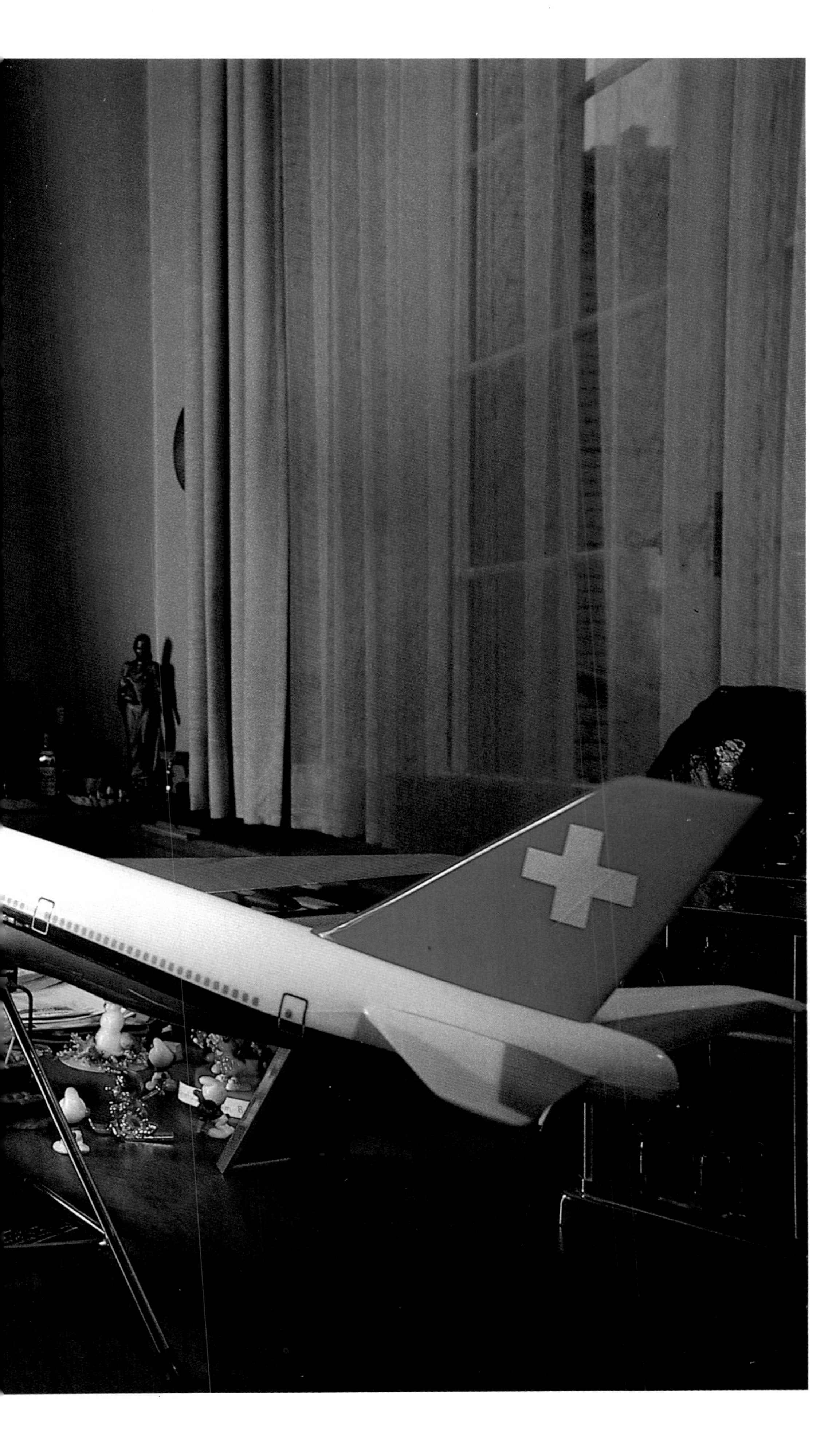

Die Armbrust, das legendäre Schiessgerät des legendären Tell, gilt als Markenzeichen für Schweizer Qualitätsarbeit. Bundesrat Leon Schlumpf, der Minister aus dem Kanton Graubünden, scheut sich nicht, mit diesem Qualitätssymbol zu posieren – auch wenn der Fotograf die Waffe mitgebracht hat. Die Swissair-Nachbildung allerdings ist nicht Staffage – die steht immer in Schlumpfs Berner Bundeshaus-Büro.

Festumzug beim Jodlerfest in Zug. Ein Punk hat sich auf die Ehrentribüne geschlichen. Wegen der lieblichen Landschaft und den jauchzenden Jodlern dürfte er nicht gekommen sein. Aber auch auf einem folkloristischen Jodlerfest fliessen eben Bier und Wein in Strömen.

Ein Schweizer Drei-Sterne-General, der Generalstabschef Eugen Lüthy, ohne Hut beim Absingen einer Hymne.

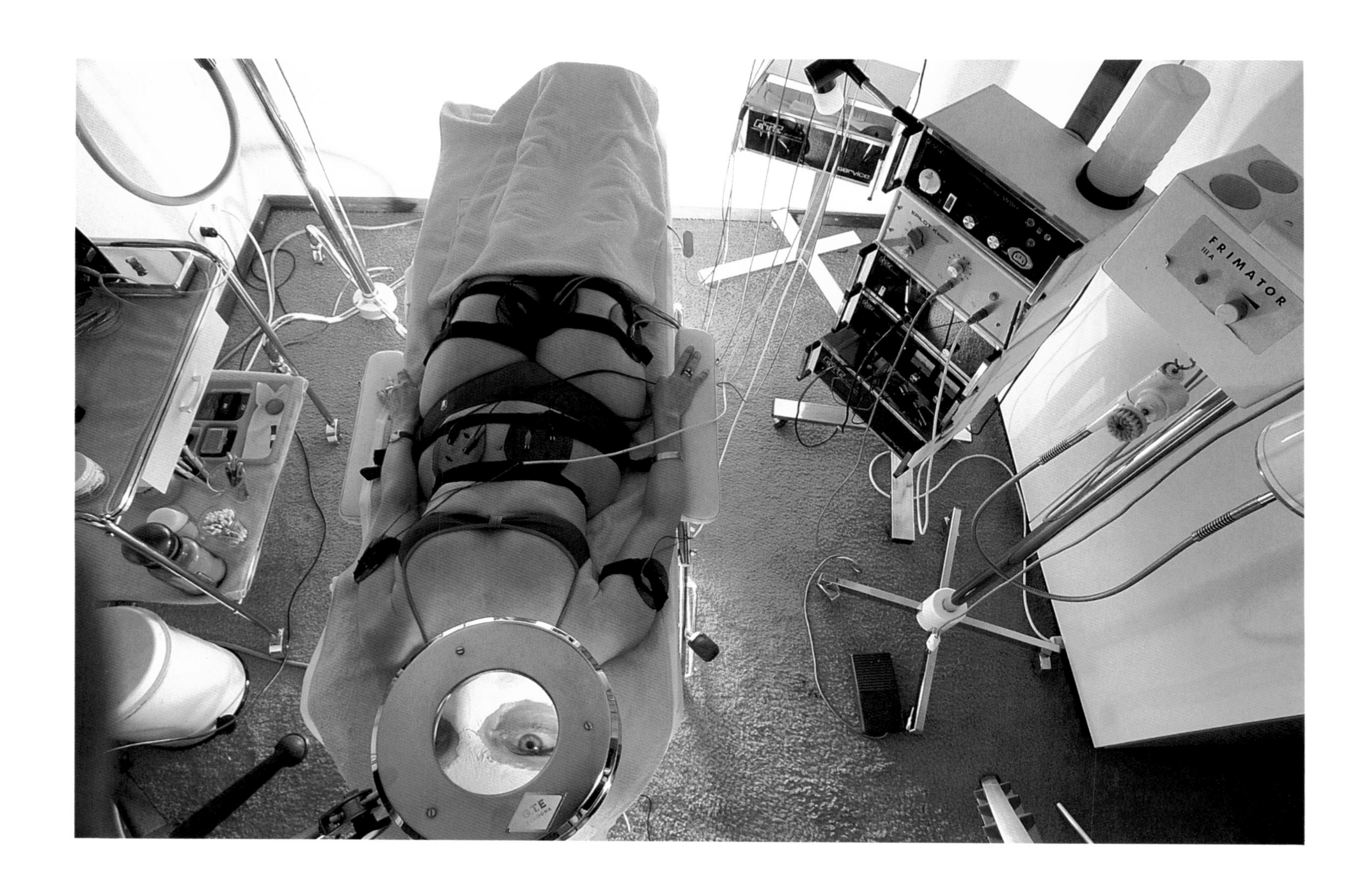

Keine Folterkammer, sondern ein Schönheitssalon in Interlaken. Die Frau Direktorin lässt es sich nicht nehmen, selber als Fotomodell zu dienen, und erklärt, was passiert: Elektrische Impulse auf einschlägige Stellen der Haut sollen überflüssige Fettzellen abbauen.

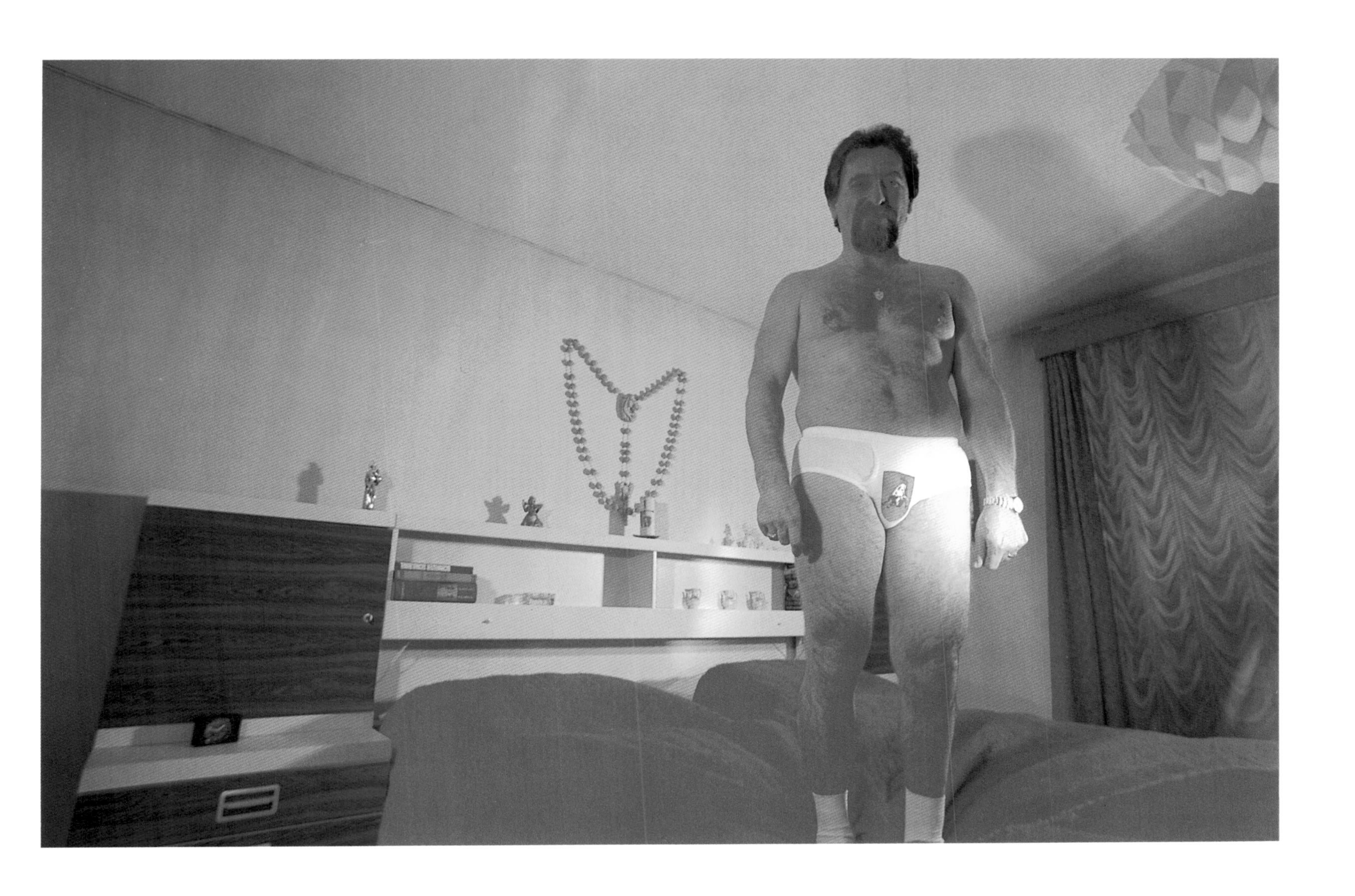

«An einem Sonntagmorgen im Cockpit eines Lamborghinis durch die Stadt zu donnern ist geiler, als mit einem berühmten Filmstar ins Bett zu gehen», sagt der Präsident des Schweizer Lamborghini-Clubs. Den ersten Teil der Behauptung dürfte er kennen…, doch das Lamborghini-Emblem auf seiner Unterhose lässt daran zweifeln, dass er den Vergleich schon wirklich angestellt hat.

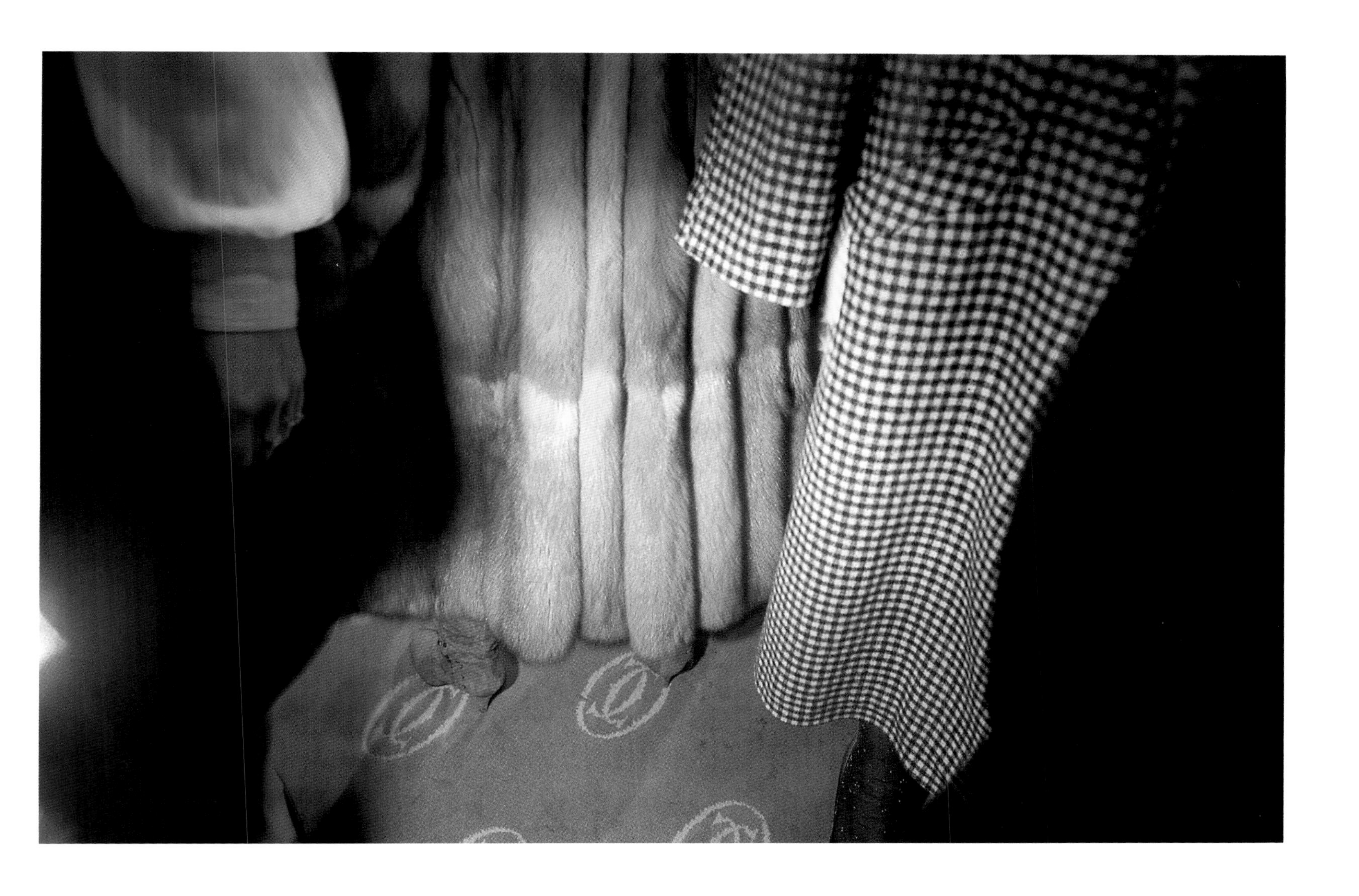

Damen der feinsten Zürcher Society bei der Eröffnung einer neuen Cartier-Boutique an der berühmten Bahnhofstrasse. Der Boden, auf dem sie stehen, gehört zum teuersten, was man auf der Welt haben kann:
Die Quadratmeterpreise an der Bahnhofstrasse sind höher als an der New Yorker Fifth Avenue.

Nach dem Vorbild von «Playboy»-Chef Hugh Hefner posierte der Zürcher Sex-Unternehmer Gody Müller mit Gespielin in der Badewanne. Sein «Stützli-Sex», die einzige Peep-show der Stadt, hatte ihn schnell reich gemacht. Doch als die Behörden seinen Guck-Kasten schlossen, nahm der Reichtum rapide ab und die Gespielinnen verschwanden. Heute ist Müller armengenössig und lebt in einer Scheune im Tessin.

R WEBB
TOBBACCONIST
STREET

In der Wandelhalle des Nationalratssaales in Bern blickt eine romantische Barbusige auf die Damen und Herren, die hier vor ihren Parlaments-Debatten lustwandeln – und hier oft auch die richtigen Fäden knüpfen, um Debatten im voraus abzukühlen. Jahrzehntelang hatte die barbusige Deckenschönheit übrigens nur Herren unter ihren Blicken – Frauen sind erst seit rund 15 Jahren im Parlament vertreten.

Auch in der Schweiz herrscht eine Inflation an Schönheitsköniginnen – aber sie hier ist die exklusivste: ein Mann, Sieger der Schönheitskonkurrenz am Zürcher «Tuntenball».

Zürich, Langstrassequartier: Eine Stripperin in ihrem winzigen Appartement, das sie sich aber nur leisten kann, weil sie im Sex-Gewerbe gut verdient. Vor dem Fenster: Verkehr, Lärm, Gestank. Das ehemalige Arbeiterquartier wurde zum Amüsierviertel der Stadt, in dem Sex-Potentaten und Bauspekulanten die Liegenschaftenpreise so hochschaukelten, dass die ehemals preisgünstigen Wohnungen heute für Arbeiter nicht mehr zu bezahlen sind.

Gruppenbild aus dem ländlich-katholischen Sursee. Die Exotik des süssen Grossstadtlebens ist längst in die Provinz vorgedrungen, das Champagner-Cüpli zum Standard-Getränk geworden. Und die Damen können ein paar Sätze Schweizerdeutsch.

Zwei Porträts aus dem Grand Hotel «Glacier du Rhône» in Gletsch am Fusse des Rhonegletschers. Links der Hauswart, der seit 40 Jahren den Winter über, wenn das Hotel völlig eingeschneit und von der Umwelt abgeschlossen ist, ganz alleine mit ein paar Geissen in dem riesigen ehemaligen Prunkkasten wohnte. Rechts ein Saisonnier, der im Sommer die wenigen Touristen, die hier noch haltmachen, bedient. Der Zustand seines Zimmers lässt auf den Zustand der Touristenattraktion aus der Jahrhundertwende schliessen.

Ein Bergbauer in Savognin in Graubünden. Die Flora auf den Hügeln im Hintergrund ist durch den starken Ski-Tourismus dieser Gegend zum Teil gefährdet.

Beim Jodlerfest in Zug wird das Walliser Bergkirchlein auf Rädern ins Feld gerollt, die Alphörner passen, auseinandergeschraubt, in den Kofferraum, die Szenerie ist städtisch, die Alphornbläser sind Computerfachmänner oder Agro-Ingenieure. Aber die traditionelle bäuerliche Folklore wird dennoch liebevoll gepflegt, die Emmentaler Trachtenjäcklein sind so, wie sie sein müssen – wenn auch maschinengefertigt.

2275 m.
7450 ft.
Rhonegletscher

Der Eisbär und der Fotograf gehören zum Inventar des Rhonegletschers. Im Eispalast, der in den Gletscher gehauen ist und den Touristen für wenig Geld besichtigen können, hält man's für kurze Zeit (und fürs Fotoalbum) auch im Bikini aus. Doch für den Bär und den Fotografen, die den ganzen Tag in der Eishöhle stehen, ist auch im Sommer Pelzbekleidung angesagt.

Eine gewisse Hemdsärmligkeit ist auch in der schweizerischen Politik von Nutzen. Bevor sich die Parlamentarier in den Nationalratssaal setzen, legen sie noch einmal ihre Strategien fest.

Die Buttergipfeli stehen jeden Mittwochmorgen rechtzeitig bereit – falls die Regierung der Schweiz, der Gesamtbundesrat, beim Regieren mal Kaffeepause macht. Denn immer am Mittwochmorgen versammeln sich die sieben Regierungsmitglieder hinter verschlossenen Türen im Bundesratszimmer, um die laufenden Geschäfte zu besprechen, die sie als Kollegialbehörde gemeinsam zu verantworten haben.

Vor der Sitzung stellen die Bundesweibel an jeden Platz ein Glas Wasser. Auch die Nicht-Bundesräte, die regelmässig an dieser Sitzung teilnehmen, der Kanzler und der Sprecher, haben Anspruch auf ein Glas.

Gleich neben dem Bundeshaus in Bern steht das Hotel Bellevue Palace. Es gehört der Schweizer Nationalbank und ist so etwas wie die First-Class-Kantine des Bundes. Kleine Konferenzen, vertrauliche Gespräche, parteiüberbrückender Meinungsaustausch unter den Politikern, aber auch Gerüchtebörse für die Journalisten – ein guter Teil von Berns politischem Alltag findet im Bellevue Palace statt. Und wenn die Kellnerinnen Tellerberge zu schleppen haben, ist wieder einmal ein diplomatischer Empfang angesagt.

Die drei Eidgenossen, die auf der Rütliwiese im Jahr 1291 geschworen haben, fürderhin «ein einig Volk von Brüdern» zu sein, stehen – in Stein gehauen – in der Eingangshalle des Bundeshauses. Aber zu Beginn einer Parlamentssession eilen die Politiker jeder auf seinem eigenen Weg ins Haus – die Einigkeit muss erst noch erzielt werden.

Der selbstzufriedene Gesichtsausdruck auf dem Gesicht von Nationalrat Franz Jäger aus St.Gallen ist erklärlich: Als einer der jüngeren Spitzenpolitiker finden seine «grünen» Postulate immer mehr Gehör – auch wenn Jäger selber zur Migros-abhängigen Partei «Landesring der Unabhängigen» gehört.

«Affe überfiel Frau auf Kirchgang: Finger ab» – die Schlagzeilen von «Blick», der einzigen Schweizer Boulevardzeitung, verursachen bei den Politikern in der Regel nicht sonderlich viel Aufregung. Aber zur Unterhaltung im grauen politischen Alltag der Parlaments dienen sie alleweil – und wenn die Boulevard-Journalisten doch einmal politisch werden, kann's ganz ungemütlich sein.

Wie sich's für die älteste Demokratie der Welt gehört: Bei Abstimmungen im Parlament werden die Stimmen noch von Hand gezählt. Der Computer hat da nichts zu suchen – jedenfalls vorläufig noch. Auf dem Wandgemälde im Hintergrund: die Rütliwiese – der Gründungsort der Eidgenossenschaft, so die Legende und nach Friedrich Schiller – als Idylle.

Die Rütliwiese als Schauplatz: die Schützen des Rütlischiessens hängen ihre Wimpel, Standarten und Gewehre in den Apfelbaum. Eine vaterländische Selbstverständlichkeit – der Schütze Tell hat's ja auch mit den Äpfeln gehabt.

«Loufed bitte wiiter» – gehen Sie bitte weiter – war der Kommentar des Soldaten, als er die Kamera sah. Er bewachte einen Seitenflügel des Bundeshauses während eines Manövers und wusste, wie alle Schweizer Soldaten, dass es verboten ist, Armeebewegungen ohne Sondergenehmigung zu fotografieren.

Auch hier sind Fotos nur mit einer Sonderbewilligung erlaubt – und ohnehinn nur dann, wenn keine Kunden da sind. Dieser Tresorraum einer Genfer Privatbank besticht durch sein Styling und sein gepflegtes Ambiente – und dadurch, dass der Kunde hier ganz alleine mit seinem Schliessfach sein kann. Erst auf sein Klingeln schliesst der Pförtner die vielen Türen wieder auf, die für die absolute Diskretion wohl notwendig sind.

Wie's in New York das «Little Italy» gibt, gibt's in der Schweiz das «Little New York»: Weltstadthungrige Schweizer importieren den postmodernen Lebensstil von Manhattan und machen daraus Altare des guten neuen Geschmacks. So etwa die Boutique «Container» (links), die massgerecht in ein Zürcher Abbruchhaus eingefügt wurde, so auch die namenlose Cafeteria in Genf, die vom Mode-Innenarchitekten Philippe Stark entworfen sein könnte und in der – Stil muss sein – die High School-Kids am Nachmittag ihre Hausaufgaben machen, während auf den Videomonitoren Gruselfilme laufen.

Kunsthalle Basel, Ausstellung des Schweizer Foto-Malers Franz Gertsch, der mit Vorliebe eindrückliche Frauen grossformatig porträtiert – und damit vor allem bei Frauen grosse Eindrücke hinterlässt.

Land-Art-Happening in der Anflugschneise des Flughafens Zürich-Kloten: Mit Tausenden von bunten Fähnchen, die in den Schnee gesteckt sind, wird dem einfliegenden Besucher gleich der Tarif bekanntgegeben. Die so entstandene 1000-Franken-Note ist grösser als ein Fussballfeld.

Tag und Nacht verdunkelt sind die Wohn- und Arbeitsräume des Zürcher Horror-Malers H. R. Giger (sein Vorname ist Hansruedi, aber er will nur H. R. heissen). Für seine Szenerie-Entwürfe zum Gruselfilm «Alien» erhielt er in Hollywood einen Oscar – was ihn aber nicht daran hindert, weiterhin mit seinen Katzen in einem Reihenhäuschen des Zürcher Vorortes Oerlikon im Dunkeln zu sitzen. Und neue finstere Pläne auszuhecken.

Edelnutte, Sado-Maso-Queen, Domina, Ausbeuterin, Herrin über 15 Sklavinnen und noch viel mehr gut bezahlende Sklaven, die aus ganz Europa anreisten, um sich ihr kostenpflichtig zu unterwerfen – eine junge Dame namens «Mireille» trieb's ein paar Monate lang toll im Zürcher Nobelquartier Oberstrasse. Als ihre schwarzen Messen allzu bekannt wurden, schritt die Polizei ein – und mit ihr die Steuerfahndung. Inzwischen ist Mireille Mutter von zwei hübschen kleinen Kinderlein – der Vater ist allerdings ein Rastafari.

Eine 17jährige Afrikanerin albert in ihrem recht grossen Bett an der Zürcher Langstrasse mit ihrer Puppe herum. Normalerweise albert sie hier mit Freiern: das Bett gehört zu einem – natürlich verbotenen – Puff.

Eigentlich möchte Zürich eine saubere Stadt sein. Deshalb wird die Strassenprostitution drastisch eingeschränkt, offizielle Bordelle sind verboten, Sex-Clubs gibt es nicht und Massagesalons werden rigoros kontrolliert. Entsprechend gross ist der Anteil der Halb- und Unterwelt am Sex-Geschäft in der grossen Stadt.

Ob das der Fotograf ist, der für eine (nicht frei verkäufliche) Sex-Postille Reklame-Bilder von «Begleiterinnen» schiesst (links), oder die ältere Profi-Lady, die drei Tage vor diesem Foto-Termin von Zuhältern brutal zusammengeschlagen wurde, weil sie sich mit der Presse einlassen wollte – in Zürich sind die Sitten nicht weniger rauh als anderswo. Aber verboten – und somit am liebsten nicht existent – sind sie allemal.

Der Mädchen-Import aus der Dritten Welt hat in der Schweiz drastische Formen angenommen. Weil dunkelhäutige Animiermädchen besonders streng kontrolliert werden, vermitteln ihnen professionelle Menschenhändler Schweizer Ehemänner – mit einem roten Schweizerpass versehen, können die Mädchen dann arbeiten. Allerdings nicht ungestört, denn die Zuhälter, die Pseudo-Ehemänner und die Menschenschmuggler wollen immer mitkassieren. Diese beiden haben sich einen Dobermann angeschafft – vor allem zum Schutz gegen den Wohnungsvermieter, der die – übersetzte – Miete immer selber abkassieren kommt. Nicht ohne Nebenwünsche, versteht sich.

Der dumme AIDS-Witz, wonach einer mit Parisern im Sack zu einer Fasnachts-Party geht, weil man da doch immer so lustige Ballone fliegen lässt, wird hier in einem – verbotenen – Zürcher Puff auf die Schippe genommen. Tatsache aber ist, klagen die Mädchen, dass die meisten Freier sich weigern, einen «Gummi drum» zu akzeptieren. Obwohl Polo Hofer, der bekannteste Schweizer Rocksänger, aus allen Radio-Röhren tönt: «Bim Siitesprung, im Minimum, en Gummi drum.»

Wenn's Frühling wird in Zürich, dann haben die besseren älteren Herren ihren grossen Auftritt. Als Zünfter verkleidet, können sie beim «Sächsilüüte»-Umzug Blumen einsammeln, die ihnen von Angehörigen und Angestellten zugeworfen werden. Und die zukünftigen besseren älteren Herren sind auch schon dabei.

Neue Zürcher Zeitung

Das «Sächsilüüte», Zürichs Frühlingsfest, bei dem der Winter in Form eines Schneemannes auf den Scheiterhaufen kommt, während die Elite der Stadt in alten Kostümen um das Feuer reitet und das breite Volk begeistert applaudiert – die Szene ist schon so häufig fotografiert worden, dass es der Hobbymaler unter dem Regenschirm endlich einmal eindrücklicher darstellen will.

Diese Kleinen haben es gut: Sie gehören zur Auswahl derer, die am «Sächsilüüte» in Biedermeiertrachten am Festumzug mitmarschieren dürfen.

Diese Alten haben es gut: Sie kommen gerade aus einer Bank am Zürcher Paradeplatz – und Habenichtse haben hier eigentlich nicht viel zu suchen.

Ballett ist eine Kunstform, die in der Schweiz ein verschwindend kleines Publikum hat. Umso verdienstvoller, dass am Genfer See jedes Jahr ein Ballettwettbewerb um den «Prix de Lausanne» veranstaltet wird. Nur: Die Sieger kommen meistens aus dem Osten.

Volle Konzentration: Eine junge Tänzerin beim Wettbewerb um den «Prix de Lausanne».

Scharf beobachtete Aktion: Links beobachten junge Ballettratten, wie eine Konkurrentin beim «Prix de Lausanne» auf den Spitzen geht; rechts beobachten ältere «Zünfter» beim «Sächsilüüte», wie der «Böög», der Schneemann, auf dem Scheiterhaufen explodiert.

Zwei Tänzerinnen vor ihrem entscheidenden Auftritt:
Sie scheinen sich gegenseitig zu beschwören...

Ein Liebespaar im SBB-Wagen zwischen Zürich und Basel: Ein Bildnis der sauberen Jugend – nur der Walkman stört...

Der Besuch auf über 4000 Metern auf der Terrasse des Kleinen Matterhorns hat diese hübsche Chinesin so übermütig gestimmt, dass sie sich fürs Foto am liebsten ausgezogen hätte. Sie hat's dann auch gemacht – aber es war ihr doch lieber, wenn man das Bild davon nicht publiziert.

Ab 2500 Meter gibt es keine Discos mehr: Wer hier, am Kleinen Matterhorn, Ski fährt, erbringt eine echte sportliche Leistung...

«Ich am Matterhorn, und das mit einer Mütze aus dem Russenfeldzug», lachte der deutsche Tourist. Sie stammte wirklich von da, aber er war trotzdem froh über seine warmen Ohren…

Idylle im Emmental: Ein Voralpenbauer zeigt seinen Kindern und Enkeln, wie weit das gelobte Land der bäuerlichen Zufriedenheit reicht. Doch die Idylle ist trügerisch: Am Horizont ist bereits die Jura-Kette zu sehen – und die Bauern dort sind aufsässig, trotzig und haben sich vor zehn Jahren die Unabhängigkeit vom Kanton Bern erkämpft.

Dass die Schweizer ein Volk von griesgrämigen Sauertöpfen sind, stimmt nicht – auch wenn man es manchmal meinen könnte. Die Punks auf dem Bild rechts, die fröhlich dem Sonnenuntergang zuprosten, beweisen es.

«Nieder mit dem Packeis!» skandierten 1980 in Zürich jugendliche Randalierer, und auf Wände sprayten sie: «Gibt es ein Leben vor dem Tod?» Sie probten den Aufstand gegen die wohlorganisierte, vornehmlich auf Profit orientierte Gutbürgerlichkeit, gegen das Wohlstandseinerlei und die Benachteiligung der Schwachen. Steine flogen in Zürich, Pflastersteine gegen die Polizei, und die schoss mit Tränengas und Gummigeschossen zurück. Die Mehrheit der Bürger war dafür, dass nach den heissen Nächten des «Opernhauskrawalles» Ruhe und Ordnung wiederherzustellen sei – nach dem Abbruch des «Autonomen Jugendzentrums» (AJZ) wurde es dann, zumindest an der Oberfläche, wirklich ruhig. Und die zufriedenen Minen von Bürger und Polizist vor den Ruinen des AJZ zeigten Dankbarkeit. Und Triumph.

Sonntagnachmittag in Zürich: 1000 Kilometer entfernt spielt der SSC Napoli gegen Inter Mailand. Wird Maradona ein Tor schiessen? Wird der «Scudetto» gelingen. Für viele Italiener bleibt der Fussball und die sonntägliche Direktreportage über die italienischen Spiele die wichtigste Nachricht aus der Heimat. Auch wenn sie – oder gerade weil sie besser in die Schweizer Gesellschaft integriert sind als andere Gastarbeiter, bleiben sie ihrer Heimat wenigstens beim Fussball treu. «Calcio svizzero? – Ma ché!» – Schweizer Fussball? – Was soll's!

Der Wirt eines Nachtclubs in Alpnach in der katholischen Innerschweiz hat sich etwas einfallen lassen: Weil immer viel Militär bei ihm verkehrt, lässt er in einem kleinen Glas-Pool über der Bar ein knackiges Thai-Mädchen herumplantschen. Was die erwartungsfrohen Soldaten nicht wissen: Die Artistin kann nicht einmal drei Züge alleine schwimmen. Und heruntersteigen in die Bar kann sie erst recht nicht.

Diplomatenkinder warten in einem Nobelhotel der Westschweiz auf ihren grossen Auftritt. Da Genf ein Sitz der UNO ist, leben entlang des Genfer Sees zahlreiche Ausländerfamilien in allerbesten Verhältnissen – die Kinder allerdings zumeist in teuren Internaten zwischen Vevey und Gstaad. Aber bei festlichen Anlässen sind sie erwartungsfroh dabei – sie sind ja so niedlich in ihren kleinen Smokings und Abendroben.

Schweizer Ehepaar bei einem Festumzug in Zürich:
Sie sind froh, hier zu leben – aber so richtig glücklich scheinen sie nicht zu sein.

Tamilische Asylbewerber in einem Auffanglager in Bern: Sie wären froh, hier bleiben zu können – und büffeln, um vielleicht eine Stellung als Kellner zu bekommen.

Lady in Zürich 1: Sie kommt aus Thailand, arbeitet in einer «Zupfstube» (Massagesalon) und hat gelernt, auch ausgefallene Wünsche zu erfüllen.

Lady in Zürich 2: Sie kommt aus Basel, arbeitet in einer Zürcher Werbeagentur und ist die gute Seele derselben.

Kultur ist, wenn man trotzdem lacht: Der Art Director Beat Keusch, leicht schläfrig nach einer langen Vernissage, unter einem Bild, zu dem ihm mehrere Besucher Ähnlichkeit attestiert haben. Aber er nimmt's nicht weiter ernst – und döst schmunzelnd weiter.

Die abendliche Fahrt mit den vollen Kannen in die Milchhütte ist fast schon ein Ritual. Der Bauer freut sich darauf – nachher geht's zum Bier in die Beiz (Kneipe). Und dass die vom Steuerzahler subventionierte Milchschwemme ein Ärgernis ist, lässt sich bei einem Schoppen getrost wegschwemmen.

G

Grosse Bühne für die Nation: Der ehemalige Chef des Eidgenössischen Militärdepartements/EMD (Verteidigungsministerium) und heutiger Wirtschaftsminister Jean-Pascal Delamuraz erwartet mit Spitzen der Armee den Vorbeimarsch der Truppen des Manövers «Dreizack».

So begann das eidgenössische Heldenepos: Mit Hellebarden, mit denen man nicht nur stechen und hacken konnte, sondern mit denen man die edlen Ritter vom Pferd herunterangelte, wurden die Schweizer im 14. und 15. Jahrhundert zur gefürchtetsten Schlacht- und Söldnertruppe Europas. Unter den Rittern der damaligen Zeit mögen diese neuen Waffen als unfair verpönt gewesen sein – heute werden sie von den Nachfahren der alten Eidgenossen wie Gütezeichen für den ewigen Frieden zu den Schlachtfeiern getragen. Im «ernsten Einsatz» sind sie jedoch noch jetzt: Der Papst zählt auf die Schweizergarde und ihre Waffen – Relikte aus dieser Zeit!

Der Schweizer und sein Sturmgewehr I: Der Humorist und Bauchredner Kliby mit seiner Puppe Caroline.

Der Schweizer und sein Sturmgewehr II: Ein Punker im Zürcher Seefeld-Quartier.

Der Schweizer und sein Sturmgewehr III: Der Krankenpfleger Mani gilt jetzt als «normaler Schweizer».

Der Schweizer und sein Sturmgewehr IV: Eigentlich wäre der Rüedu aus dem Emmental lieber zu den Fliegern gegangen, doch dort nehmen sie nur die «Mehr-Besseren...»

Der Schweizer und sein Sturmgewehr V: Der Generalimporteur von Luxus-Unterwäsche für die Schweiz.

Der Schweizer und sein Sturmgewehr VI: Das Marihuana-Blättchen am Ohr stört die vaterländischen Gefühle nicht.

Ein Küsschen in Ehren heisst auf gut Schweizerisch «es Mündschi». Kommt wohl vom nach vorne zugespitzten Mund, aus dem – blopp! – etwas Feines kommt. Miss Schweiz geniesst es hier gleich in doppelter Ausführung.

Wie zu einem «Mündschi» bereit – blopp! – guckt dieses Kanonenrohr aus dem künstlichen Felsenfenster einer Grenzfestung. Aber keine Sorge, das Rohr ist gegen Osten gerichtet.

Was macht ein Artillerieoffizier, wenn er altershalber aus der Schweizer Milizarmee entlassen wird? Logisch – er böllert weiter, zur Not halt mit anderen Mitteln. Grenadiere und Infanteristen können ihre Schützenlust fast an jedem Wochenende bei irgendeinem Schiessverein oder an Schützenfesten ausleben. Und auf Scheiben knattern. Für Artilleristen ist das schwieriger – schliesslich kann nicht jeder mit Haubitzen durch die Gegend ballern. Deshalb haben sich die Männer vom Zürcher Artillerieverein eine List zugelegt: Sie schiessen, einmal im Jahr nur, mit alten, bis zu 300jährigen Mörsern.

Auf der Zürcher Allmend Brunau fliegen ihre Kugeln zwar kaum viel weiter als 50 Meter, aber die Genüsse des Artilleriewesens bleiben dabei erhalten: Das Berechnen und Abschätzen des Schusswinkels (links), die ohrenbetäubende Freude beim Losdonnern (rechts), und der Spass am Ausloten, weshalb man daneben geschossen hat (nächste Seite).

Versteht sich fast von selbst, dass dieses exklusive Vergnügen nur wenigen offensteht: den Spitzen der Zürcher Gesellschaft – solange es sich um Artilleristen handelt.

Ein Brief mit drei Siegeln hängt hinter dem Auskunftsschalter des Berner Bundeshauses. Es ist die Kopie des Bundesbriefes der Eidgenossen von 1291. Das Original hängt in einem eigenen Museum in der Ortschaft Schwyz, und mindestens einmal im Laufe einer helvetischen Schulkarriere kommt man in die Verlegenheit, den Text davon auswendig lernen zu müssen. Der Concierge des Bundeshauses wollte beim Fototermin offenbar nichts mehr davon wissen…

Dass die Schweizer viel vom Essen verstehen, ist wohl unbestritten – schliesslich haben sie die französische, die italienische, die deutsche und die bäuerlich-schweizerische Küche in ihrem Repertoire. Ob beim Cervelat-Braten im Militärdienst (links) oder bei den feinen Häppchen auf der eleganten Party – die Schweizer wissen, was man sich standes- und situationsgemäss zu Munde zu führen hat.

Ein Augenblick für den Fotografen: Auch die Herren von der «Gesellschaft zur Constaffel», der vornehmsten aller Zürcher Zünfte, haben am «Sächsilüüte» ein freundlich gemeintes Gesichtsverziehen für die Kamera übrig.

Da wollten die Japaner den Schweizern auf heimatlichem Fels ein Schnippchen schlagen: An der Aufstiegsroute zum Matterhorn stellte eine japanische Kamerafirma eine monumentale Selbstauslöser-Belichtungsmaschine auf, mit der sich der tapfere Kletterer am Berg selber aufnehmen konnte – und postwendend einen Abzug seiner Heldentat nach Hause geschickt bekommen hätte. Aus japanischer Hand. Klar, dass die Schweizer Bergführer solchem Frevel sofort Einhalt geboten: Wenn am Matterhorn fotografiert wird, dann von Schweizern.

Rund 10 000 Ski-Langläufer rotten sich alljährlich im März im Engadin zusammen, um 42 Kilometer weit von Maloja nach Zuoz zu gleiten. Die Schnellsten schaffen den Ski-Marathon in knapp zwei Stunden, die letzten kommen nach sechs Stunden ins Ziel. Und der Ehrgeiz der vielen tausend Amateur-Läufer ist es, sich am Morgen einen möglichst guten Startplatz zu ergattern – da stehen sie denn schon um sechs Uhr morgens bei 15 Grad Kälte auf dem Startplatz herum und bewachen ihre wohlgewachsten Bretter. Die Segnungen der Weltraumforschung, wie etwa die kälteisolierende Goldfolie oder der temperaturunabhängige Gleitwachs, kommen in dieser Materialschlacht voll zum Einsatz.

Gar nicht lustig: Zwei Tambouren trommeln um sechs Uhr früh bei 17 Grad Kälte ihre Kameraden missmutig aus den steifgefrorenen Schlafsäcken.

Lustig: Zwei Zimmermädchen, an harte körperliche Arbeit gewöhnt, amüsieren sich darüber, wie erwachsene Männer sich beim Engadiner Ski-Marathon abrackern.

Kreis 4 in Zürich, Sammelbecken der Einwanderer: An die Silhouette der jüdischen Orthodoxen (links) hat man sich längst gewöhnt, doch die Türkenfamilie kann sich mit dem ersten Schneefall ihres Lebens noch nicht richtig anfreunden. In diesem Quartier, genannt «Kreis Chaib», gibt es Schulklassen, in denen von 25 Schülern nur drei Schweizer sind und in denen bis zu vier verschiedene Sprachen gesprochen werden. Dem Frieden unter den Einwohnern hat's bisher nicht geschadet.

Längst sind die meisten Schweizer stolz darauf, ihre Spaghetti, ihren Vino, ihren Espresso in halbwegs wohlklingendem Italienisch bestellen zu können und einen Giovanni oder eine Marina in der entfernteren Familie zu haben: Die italienischen Gastarbeiter, viele schon in der dritten Generation in der Schweiz, sind grösstenteils akzeptiert. Dennoch haben sie ihre Italianità, ihre Zusammengehörigkeit, ihren Glauben nicht verloren. Eine Taufe nach italienischem Brauchtum ist in Zürich zum Beispiel allsonntäglich – viele katholische Messen und Predigten werden sogar zweisprachig gelesen.

Wenn hingegen die perfekt Schweizerdeutsch redenden Italiener der zweiten oder dritten Generation ihren südländischen Charme darauf verwenden, junge Schweizerinnen anzumachen, dann kann es schon zu Problemen kommen.

Zwei Männer, die von sich sagen, dass sie Clochards sind. Sie leben im Pavillon einer Parkanlage und ernähren sich von der Wegwerfgesellschaft, die alleweil genug Abfall produziert, um den täglichen Erwerb von zwei Flaschen billigem Rotwein herauszuschlagen.

Eine junge Frau, die von sich sagt, dass sie ein Yuppie sei. Sie lebt in einer der besten Gegenden Zürichs, hat einen tollen Job und findet das Leben lustig genug, um es nicht immer ganz ernst zu nehmen.

In einer Sado-Maso-Klinik in Zürich. Der Klient kommt einmal wöchentlich aus Paris angeflogen, um sich einer dreistündigen Tortour zu unterziehen. Vielleicht könnte er das in Paris auch haben. Aber in Zürich kann er es mit geschäftlichen Besprechungen verbinden – oder zumindest damit entschuldigen.

Als Verkäuferin in der Boutique «Opera» in Bern war sie noch «ds Fröllein Grollimund». Doch dann hatte sie ein paar Fototermine und bewegte sich richtig: Jetzt heisst sie Jacky Jones und ist ein begehrtes Mannequin, das zum Beispiel bei Gautier in Paris immer wieder engagiert wird.

«Frisch, Vater, zeig, dass du ein Schütze bist» – die zwei Knaben könnten, ihrer Verkleidung nach, zwar den kleinen Walter in Schillers Wilhelm Tell spielen. Zum Glück sind sie beim traditionellen Armbrustschiessen von Thun in sicherer Deckung und brauchen nur die Treffer auf der Tafel anzuzeigen. Denn der beglückende Aufruf: «Der Apfel ist gefallen!» wäre wohl ausgeblieben.

Gelobt und geliebt: die Schweiz

I Dem Schweizer fällt es schwer, etwas zu loben – freiwillig und in freier Rede erst recht. Eigenlob kommt ihm schon gar nicht über die Lippen. Aber der Schweizer ist sich gewohnt, dass sein Land – und somit er selber – mit Lob überschüttet wird: älteste Demokratie, zauberhafte Landschaft, immerwährender Arbeitsfrieden, Neutralität, stabile Währung, sichere Banken. Und so weiter. Ein Ausbund von Solidität.

Wenn ab und zu Kritik aufkommt an dieser Schweiz – etwa wegen Fluchtgeldern, Waffenschiebereien, Geldwaschanlagen, Kriegsgewinnlern oder wegen einer hartherzigen Asylantenpolitik –, dann ist der Schweizer erstaunt. Wie kann man es wagen, an seinem gelobten Land zu zweifeln? Und wenn er dann gar erleben muss, dass sein roter Pass mit dem weissen Kreuz im Ausland nicht mehr gilt als andere Pässe und auch nicht mehr, wie nach dem letzten Krieg, mit einem Rot-Kreuz-Pass verwechselt wird, dann kommt bei ihm Skepsis auf. Begreifen diese Ausländer denn nicht, dass wir Schweizer ein Sonderfall sind? Tatsächlich ist die Schweiz ein sehr schönes Land, in dem zu leben ein Vergnügen ist – trotz der unverschämten Preise für Wohnungen, trotz verstopfter Strassen und sterbender Wälder, trotz der notorischen Art, alle Probleme unter den Wohlstandstisch zu kehren wie lästige Brotkrümel.

Wer hier lebt, in der Schweiz, hat's schön. Es geht ihm gut, besser jedenfalls – glauben die meisten Schweizer – als es ihm sonstwo auf der Welt gehen würde.

Diese Meinung teilt auch Alberto Venzago. Gerade oder weil er als internationaler Fotojournalist in den finstersten Ecken dieser Welt herumkommt, weil er Krieg und Hunger und Elend kennt, Rassismus, Arbeitslosigkeit, religiösen Massenwahn und alle Formen der Gewalt, aber auch den funkelnden Glanz der Metropolen – weil er alles kennt, was unheil ist auf dieser Welt, kommt er gerne zurück in die Schweiz, wo alles seinen geregelten Weg geht, wo alles klar und sauber und wohlanständig ist, eben: eine heile Welt, ein gelobtes Land. – Umso mehr fällt ihm natürlich Scheinheiligkeit auf. Aber Venzago kommt nicht als rächender Engel zurück in das Land, in dem er daheim ist. Er setzt die Schweiz nicht in einen Gegensatz zu Kambodscha oder Brasilien oder zum Iran.

Er kommt einfach zurück aus der Welt, in seinem Rucksack das – vielleicht unausgesprochene, aber heimlich erwünschte – Lob auf die Schweiz. (Nur schon das Umsteigen in eine Swissair-Maschine irgendwo auf der Welt ist für einen Schweizer ein Stück wiedergewonnene Heimat.) Und dann schaut er sich dieses Land an, ohne Vorurteile positiver oder negativer Art; er sieht die Szenen, die sich in diesem Land abspielen. Aber er sieht sie schärfer, konkreter, hintergründiger, intimer, als er Szenen in einem anderen Land zu sehen pflegt – ganz einfach: Weil er sie schon kennt. Und weil sie ihm jetzt wieder auffallen, wenn er zurückkommt aus der Fremde.

II Die meisten männlichen Schweizer besitzen ein Sturmgewehr. Das steht in der Besenkammer, gleich neben dem Staubsauger, oder auf dem Dachboden und muss einmal im Jahr pflichtgemäss in Betrieb genommen werden – zur militärischen Ertüchtigung, «das Obligatorische» genannt: 24 Schuss auf verschiedene Scheiben, gefälligst nicht zu viele daneben.

Und viele Schweizer – die unbestrittene Mehrheit – empfinden diese Schiesspflicht nicht als lästig, sondern als eine Art patriotische Manifestation, die jeder als selbstverständliche Ergänzung zum Militärdienst zu erbringen hat. Mehr noch, das Schützenwesen, die Schiessvereine waren vor hundert Jahren eine staatserhaltende Institution der Schweiz, ein nationaler Einigkeitsausweis, den man zwar dem Deutschen Friedrich Schiller und seinem «Tell» verdankte, der aber als Klammer um die verschiedenen Kulturen des Landes nützlich war. Auch heute noch gilt jede Kritik an der Schweizer Armee fast schon als Landesverrat, und die Selbstverständlichkeit, dass in praktisch jedem Schweizer Haushalt ein hochkarätiges Schiessgerät zu finden ist, wird als patriotische Qualität gewertet.

Venzago scheint von diesem militärischen Selbstverständnis der Schweiz fasziniert zu sein. Vielleicht, weil er zuviel, jedenfalls mehr als andere miterlebt hat, wie es ist, wenn Waffen auch wirklich eingesetzt werden, sieht er die Schweizer immer wieder an ihren Gewehren und Kanonen hantieren – und seine Kamera wittert dabei stets eine Pose, eine skurrile Szene, ein Stück absurdes Theater.

Auf den ersten Blick könnte man meinen, Venzagos ausführliche und immer wiederkehrende Beschäftigung mit dem Thema Militär sei als Kritik aufzufassen. Doch das Gegenteil ist der Fall: Venzago verharmlost die schweizerische Waffentradition. Der grinsende Komiker, der kichernde Punk oder der von seidener Unterwäsche umrahmte Manager, die alle vergnügt ihre Sturmgewehre präsentieren; die würstebratenden Soldaten und der einsame Kämpfer, der hinter Stacheldraht das Bundeshaus verteidigt; die älteren Herren, die in der Freizeit mit alten Mörsern schiessen und die feierlichen militärischen Aufmärsche – das alles wirkt so spassig, so pfadfinderhaft fröhlich, so unkriegerisch. «Lasst denen doch ihr Vergnügen, es ist ja nicht richtig ernst gemeint...», scheint die Kamera auszudrücken. Denn Venzago hat schon zu viele wirkliche Kriege miterlebt, als dass er noch an die Ernsthaftigkeit eines bewaffneten Konfliktes in der Schweiz glauben würde.

III Wie jeder anständige Schweizer besitzt auch Alberto Venzago ein Bankkonto. Und seine Behauptung, dass es fast immer leergefegt sei, lässt sich hier nicht widerlegen. Freilich hat er ein sehr unschweizerisches Verhältnis zum Geld – nämlich gar keines. Er ist nicht besitzbildend, Geld ist für ihn etwas, das man ausgibt.

Um so spannender ist für ihn die Szenerie des sprichwörtlichen schweizerischen Reichtums. Die Tresorräume der Banken, die modischen Boutiquen, die chicen Parties und die monströsen Schönheitsfarmen – für Venzago ist das alles exotisch. Er registriert diese schöne reiche Welt fast wie ein Forscher. Die Kultstätten des Kapitalismus, die Tresorräume, lässt er allerdings leer, denn der Vorgang des Geldanhäufens ist nicht darstellbar – dagegen ist eine Putzfrau, die den Tresorraum sauber macht, wenigstens handfest. Auch den Politikern schaut Venzago nicht mit irgendeiner ideologischen Beflissenheit auf die Finger; er zeigt vielmehr die lächerlich kleinen Rituale, die winzigen Augenblicke, die das Leben – und vielleicht auch die Lebensqualität dieses Landes – ausmachen.

IV Die käufliche Liebe ist bei Venzago ein häufiges Thema. Er ist ein Freund der Huren, kein Kunde – er hat ein unverkrampftes, lockeres Verhältnis zu ihnen, seine herzliche, spontane Fröhlichkeit kann das finsterste Bordell von Depressionen befreien.

Er stiess auf dieses Thema, als er für die «Schweizer Illustrierte» ein Dossier über den Zusammenhang zwischen Prostitution und Liegenschaftenspekulation fotografisch dokumentierte. Dabei wurde er automatisch zum Komplizen der Schwächeren, der Ausgebeuteten, der kleinen, drogenabhängig gemachten Hürchen, der aus Haiti oder Thailand eingeschleppten Mädchen, die sich in der Schweiz das Paradies erhofft hatten, der alten Nutten, die nie etwas anderes gelernt oder gewollt haben.

Fast schadenfreudig erlebte er auch die andere Seite, die Sado-Maso-Kliniken, in denen sich begüterte Herren quälen, peinigen oder wie Babys wickeln lassen, um ihrem Alltagsfrust zu entkommen – für Venzago waren sie Stellvertreter jener Männer, die im knallharten Sex-Business den wehrlosen Huren immer mehr Profite abzupressen versuchen.

Da die Prostitution in der Schweiz weiterhin ein Tabu ist, das am liebsten weggeleugnet würde und zu dem sich immer wieder ein paar flotte Staatsanwälte neue Schikanen einfallen lassen, setzt sich Venzago für die Benachteiligten, für die Opfer dieses scheinheiligen Geschäftes ein – nicht als Kämpfer, nur als fröhlicher Dokumentarist. Seine Erfahrungen aus der Dritten Welt, wo man für die richtige Braut auch heute noch 30 Schafe oder zwei Wasserbüffel bezahlt, lässt sich zwar nicht nahtlos auf ein gelobtes Land wie die Schweiz übertragen. Aber Venzago hat Lust daran, den Schweizern zu zeigen, was hinter ihrer vordergründigen Wohlanständigkeit heimlich so blüht.

V Nein, bewusst entlarven will er nicht – seine Kamera macht das von alleine. Venzago sucht sich nur die Motive. Etwa das Zürcher «Sächsilüüte», ein Frühlingsfest, bei dem die Bekannten und Begüterten in historischen Kleidern durch die Strassen ziehen und das gemeine Volk applaudierend zuschaut. Venzago fotografiert so etwas emotionslos, treuherzig wie ein Reporter. Aber die Szenen, die er findet, die Leute, die er porträtiert, sind aussergewöhnlich. Venzago macht nicht viel anderes, als ihnen, also der Schweiz, einen fotografischen Spiegel vorzuhalten, in den sonst niemand gucken würde.

Auch wenn er ums beliebteste Schweizer Fotosujet, das Matterhorn, herumschleicht, bringt er untypische Bilder nach Hause. Sie zeigen den Touristen als Fremdkörper – freilich ohne den Touristen zu desavouieren. In einem Land, das zu einem guten Teil vom Tourismus lebt und von dem die meisten Besucher noch jahrelang schwärmen, wird üblicherweise einfach «klick» gemacht.

VI Venzago ist in der Innerschweiz aufgewachsen, in Zug. In dieser Gegend hat man eine besondere Ambition zum Vaterländischen, zum Brauchtum, zum Älplerwesen, zur Natur, zum Folkloristischen. So ist es erklärbar, dass Alberto Venzago immer wieder auf die Gegensätze stösst, das Ländliche in der Stadt und das Städtische auf dem Land.

Die Alphornbläser, die ihren grossen Auftritt in der Stadt haben, und die Dörfler, die in ihrer heimatlichen Nachtkneipe mit farbigen Exotinnen Champagner trinken, dazu das mürrische ältere

Paar, das gerade aus der Bank kommt, und daneben die Gastarbeiter, die Jahrzehnte brauchen, bis sie in der Schweiz mehr sind als nur geduldet – das ist es, das gelobte Land.

VII Es wurde hier schon gesagt, dass die Schweiz schön und reich ist. Alberto Venzagos Foto-Essay bestätigt es, aber die Auswahl der Bilder und Motive ist subjektiv.

Es fehlt Käse, es fehlt Schokolade, es fehlen die Uhren und die Berge. Eine Banknote kommt nur in Form von Land-Art vor...

Und das Lob ist einseitig verteilt. Was die Schweizer an ihrem Land lieben und die Besucher an der Schweiz loben, wird beiläufig behandelt. Das mag daran liegen, dass Alberto Venzago zu der Generation von Schweizern gehört, die noch Utopien hegen.

Obwohl sich die Schweiz vermutlich gar keine Utopien leisten will. Das Land unter der Käseglocke ist sich selber genug.

Denn dass sie über alle Zweifel erhaben ist, die Schweiz, weiss man spätestens seit Friedrich Schiller...

Peter Höltschi

Biographie

Alberto Venzago, geboren 1950 in Zürich, Vater Architekt und Musiker. Schulen in Zürich, Kantonsschule, Lehrerpatent. Konservatorium (Klassische Klarinette). Nach einem Jahr Unterricht an einer Primarschule in den Voralpen wandert er nach Australien aus. Dort staatliches Projekt: Field research bei den Aborigines in der Wüste, weitweg jeglicher Zivilisation. Anschliessend vierjährige Reise durch Indochina, ein Jahr Japan, Besuch der Art School in San Franzisco.

Stagaire bei «Stern» und «Magnum». Als Fotoreporter bis 1983 bei der «Schweizer Illustrierten», anschliessend freier Photojournalist mit Sitz in Zürich.

Autodidakt Venzago sieht sich in der Tradition der «Concerned Photographers», jener Bildjournalisten, für die stets der Mensch im Mittelpunkt steht und die Hintergründe mehr interessieren als die vordergründige Sensation: «Die Form eines Bildes ist wichtig, aber auch der Inhalt zählt.»

1985 gewinnt Venzago den Preis des «International Center of Photography» (ICP) im Andenken an Robert Capa in New York. Seither gehört er zu den Photographen, die dazu beitragen, «die Bilder des Menschen und seiner Zeit zu erhalten und weiterzugeben».

Seit 1985 bei «Magnum». Venzago arbeitet für internationale Magazine wie «GEO», «Stern», «Life» und andere. – Verschiedene Ausstellungen. Buch mit Günter Wallraff über Nicaragua. – Er lebt in Zürich, mehrheitlich jedoch in 747s und aus seinem Koffer.